BZYK BZYK BZYK BZYK BZYK BZYK BZYK BZYK BZYK BZYK BZ

Wojciech Widłak

Pan Kuleczka * Skrzydła

Ilustrowała Elżbieta Wasiuczyńska

Media Rodzina

ISBN 83-7278-098-6

Harbor Point Sp. z o.o.
Media Rodzina
ul. Pasieka 24, 61-657 Poznań
tel. (061) 827-08-50, faks 820-34-11
mediarodzina@mediarodzina.com.pl
www.mediarodzina.com.pl

Łamanie komputerowe
perfekt, ul. Grodziska 11, 60-363 Poznań

Druk
Edica SA
ul. Forteczna 3-5, 61-362 Poznań

Gość

Był ranek. Pies Pypeć leżał na swoim posłaniu. Obudziło go furkotanie.

— Zaraz — powiedział Pypeć do siebie, nie otwierając oczu. — Właściwie tylko ptaki furkoczą. W naszym domu tylko Katastrofa jest ptakiem. Ale Katastrofa nie umie furkotać, bo ma za krótkie skrzydełka. Zresztą teraz śpi. Słyszę jej pochrapywanie. Więc...

Pomilczał chwilę, rozmyślając. W końcu wciąż z zamkniętymi oczyma uśmiechnął się i powiedział:

— Aha. Więc to niemożliwe, żeby w naszym domu coś furkotało. Po prostu mi się zdaje.

Wtedy właśnie coś mu zafurkotało nad samą głową.

Otworzył oczy. Obok zobaczył śpiącą wciąż Katastrofę, a tuż nad sobą, na półeczce — szarego ptaszka. Ptaszek wyglądał na przestraszonego. Przekrzywił główkę i wpatrywał się w Pypcia.

— Hej — powiedział Pypeć. — To ty tak furkoczesz?

Ptaszek jakby na to czekał. Natychmiast poderwał się w górę, odbił się od sufitu, potem od ściany, potem od drugiej ściany, a potem jeszcze parę razy powtórzył tę samą trasę. Furkotał przy tym nieprzytomnie.

— Ojej — zmartwił się Pypeć. — Ciasno ci, co? A mnie się zawsze wydawało, że mamy takie wielkie mieszkanie.

Ptaszek zafurkotał jeszcze raz. Trafił w lampkę, która spadła prosto na Katastrofę. Na szczęście nic im się obu nie stało, tylko Katastrofa przestała chrapać i wyskoczyła z łóżka.

— Uwaga, lampy spadają! — zawołała trochę nieprzytomnie.

Wtedy do pokoju wleciała mucha Bzyk-Bzyk i wszedł Pan Kuleczka. Ptaszek na ich widok natychmiast dał popisowy koncert furkotania.

— To wróbelek! — zawołał Pan Kuleczka. — Bzyk-Bzyk, lepiej się schowaj! Zdaje się, że wróbelki bardzo lubią muszki.

Zgrabnym ruchem podsunął Bzyk-Bzyk słoik, a gdy tam wleciała, zakręcił go przykrywką z dziurkami i odstawił.

— Jak wróbelki lubią muszki, to dlaczego pan zamyka Bzyk-Bzyk? — zaprotestowała Katastrofa.

Wróbelek latał to tu, to tam, a wszyscy usiłowali nadążyć za nim oczyma. Nawet Bzyk-Bzyk zza słoikowej szyby.

— Sprawa jest poważna — powiedział Pan Kuleczka. — Zaraz zobaczycie.

I zaprowadził ich do kuchni.

— Tędy wleciał — wyjaśnił Pan Kuleczka, pokazując uchylone okno.

Ale wszyscy patrzyli na podłogę. Leżały tam obrazki, które jeszcze wczoraj wisiały na ścianie, pudełka z przyprawami, które jeszcze wczoraj stały na półeczkach, książki kucharskie, papiery i mnóstwo innych rzeczy, które wzięły się nie wiadomo skąd. Wyglądało to gorzej niż kącik Pypcia i Katastrofy po całym dniu świetnej zabawy.

— On na pewno nie zrobił tego specjalnie! — zawołała Katastrofa.

— Oczywiście, że nie — powiedział Pan Kuleczka. — Tylko bardzo się boi, a tutaj jest mu okropnie ciasno.

— Musimy go wypuścić — stwierdził stanowczo Pypeć.

Wrócili do pokoju. Zamknęli drzwi, a Pan Kuleczka odsunął zasłony i otworzył szeroko okno. Zrobiło się trochę chłodno, ale nikt nie narzekał. Chodziło przecież o ważniejszą sprawę. Wróbelek najpierw nie bardzo wiedział, po co to wszystko. Ale gdy zaczęli wymachiwać rękoma, łapami i skrzydełkami (co tam kto miał), zafurkotał krótko i zaraz był za oknem.

— Szkoda, że się z nami nie pożegnał — powiedziała Katastrofa.

— A mnie się zdaje, że słyszę jeszcze jego furkotanie — zdziwił się Pypeć.

Katastrofa przez chwilę nasłuchiwała, a potem krzyknęła:

— Jakie tam furkotanie! Zapomnieliśmy o Bzyk-Bzyk!

I wszyscy rzucili się wypuszczać Bzyk-Bzyk ze słoika. Czekało ich jeszcze mnóstwo sprzątania, ale byli bardzo zadowoleni. Niejeden rycerz z bajki mógł im pozazdrościć. Dzień ledwo się zaczął, a im już się udało uwolnić aż dwie osoby!

Tajemnica

Pies Pypeć był zadumany. Miał pewną tajemnicę, o której nikomu, ale to nikomu nie mógł powiedzieć. Ta tajemnica mogła sporo zmienić. Nie tylko w jego życiu, ale także w życiu Pana Kuleczki, kaczki Katastrofy i muszki Bzyk-Bzyk...

Tajemnica była okrągła, zimna i niewielka. Nazywała się pięć złotych. Pojawiła się dawno temu — jeszcze jesienią, kiedy byli w sklepie. Pypeć podszedł do pani sprzedawczyni i gdy nikt nie widział, dał jej wszystkie zbierane od dawna monety. Pani przeliczyła je i podała mu dwukolorowe pięć złotych.

Bo Pypeć miał plan. Na parapecie w ich mieszkaniu stały skrzynki. Kiedyś coś w nich pewnie rosło. Ale już od dawna była w nich tylko ziemia. Kiedy wrócili do domu, a Pan Kuleczka z Katastrofą rozpakowywali zakupy, Pypeć cicho otworzył okno i wsunął pięć złotych głęboko do skrzynki z ziemią.

Od tego czasu często wyglądał przez okno. Mijały dni. Najpierw opadły liście z drzew, potem spadł śnieg, potem stopniał, ale potem znów spadł i Pypciowi wydawało się, że zima nigdy się nie skończy. Bo Pypeć wiedział, że trzeba czekać na wiosnę. Wiosną nie będzie śniegu, słońce zacznie przygrzewać, na gołym drzewie za oknem pojawią się malutkie plamki liści i zaśpiewają ptaki. Tak powiedział Pypciowi Pan Kuleczka. I powiedział jeszcze, że wiosną wszystko rośnie.

— Ja też urosnę! — zawołała wtedy kaczka Katastrofa. — Będę wielka jak szafa i wszyscy będą się musieli mnie słuchać!

Pypeć wyobraził sobie taką wielką Katastrofę i trochę się przestraszył. Ale zaraz powiedział, że jak ona się zrobi jak szafa, to on będzie wielki jak dom, a Bzyk-Bzyk jak piłka plażowa! Pan Kuleczka próbował im wytłumaczyć, że aż tak bardzo nie urosną, ale oni wcale nie byli tacy pewni. Najważniejsze — tego Pypeć był prawie pewien — że z jego pieniążka wyrośnie dużo nowych, okrągłych i zimnych monet. Kupią za nie w końcu nowy parasol dla Pana Kuleczki, mnóstwo ubranek dla Bzyk-Bzyk i nie wiadomo co jeszcze. Może nawet samochód?

To było dawno. Od tego czasu Katastrofa urosła, ale na szczęście do szafy jeszcze jej sporo brakowało. Wciąż była mniejsza nawet od nocnej szafki Pana Kuleczki.

Pan Kuleczka

9

Tego dnia od rana słońce przygrzewało tak mocno, że chyba musiała już być naprawdę wiosna. Pan Kuleczka uśmiechnął się radośnie i otworzył szeroko okno.

— Ojej! Chodźcie! — zawołał. — Zobaczcie, co nam wyrosło!

Pypeć popędził, potykając się o własne uszy. Katastrofa i Bzyk-Bzyk za nim. Pypeć wyobrażał sobie, jak się wszyscy zdziwią, skąd się wzięło tyle pieniędzy, a on im będzie tłumaczył, a potem pójdą na zakupy i...

— Ojej, co to? — zapytał zdziwiony.

Zamiast małych zimnych monet, ze skrzynek wyrastały jakieś delikatne kolorowe kwiatki.

— To krokusy — wyjaśnił krótko Pan Kuleczka.

— Ale... ale... — zaczął Pypeć. — Ale skąd one się wzięły?

— To rzeczywiście tajemnicza sprawa — powiedział Pan Kuleczka. — Wyobraźcie sobie, że kiedy jesienią robiłem tu po-

rządki, znalazłem w skrzynce pięć złotych. Kupiłem za nie cebulek i zasadziłem. Prawda, że pięknie wyrosły?

— Ale... — zaczął znów Pypeć.

— Nie myślałam, że z jednego pieniążka może wyrosnąć tyle radości — przerwała mu zachwycona Katastrofa.

— Nie! — potwierdziła Bzyk-Bzyk.

A Pypeć już nic nie powiedział.

Skrzydła

Pan Kuleczka nie bardzo lubił robić zakupy w dużych sklepach. Nawet jeśli — tak jak dziś — towarzyszyli mu pies Pypeć, kaczka Katastrofa i mucha Bzyk-Bzyk.

Szkoda, że nie mam trzeciej ręki — myślał, jak zwykle przy takich okazjach. — Mogłaby mi wyrastać od czasu do czasu. Przynajmniej, jak wracamy.

Musiał przerwać rozmyślania i zostawić pełny wózek w kolejce do kasy. Katastrofa z Pypciem i Bzyk-Bzyk mieli już dość czekania i właśnie zaczęli bawić się w berka między półkami. Biegali tak szybko, że Panu Kuleczce wydawało się, że są w trzech miejscach naraz.

— Wiecie, co? — powiedział trochę później, kiedy w końcu udało mu się ich złapać i zaciągnąć do kolejki. — Chciałbym mieć sześcioro oczu, bo wtedy mógłbym bez problemu pilnować was wszystkich.

Zdyszana Katastrofa spróbowała wyobrazić sobie Pana Kuleczkę z sześciorgiem oczu i zaczęła chichotać. Pypeć zastanowił się chwilę i powiedział:

— Ale jakby się panu zepsuł wzrok, musiałby pan nosić trzy pary okularów! To chyba strasznie niewygodne!

Katastrofa chichotała jeszcze bardziej.

— Masz rację, Pypciu — zgodził się Pan Kuleczka i opowiedział o swoim marzeniu o trzeciej ręce.

Katastrofa przestała chichotać i powiedziała:

— A ja bym chciała mieć prawdziwe skrzydła, a nie takie malutkie, które do niczego się nie nadają!

I spojrzała na Pypcia, czy nie będzie się z niej śmiał. Pypeć się wcale nie śmiał, tylko powiedział cicho:

— A ja to bym chciał mieć nawet takie malutkie skrzydła jak ty...

Bzyk-Bzyk nic nie powiedziała, tylko latała wokół nich, pobzykując wesoło. Może dlatego, że była zadowolona z tego, co miała, a może po prostu dlatego, że nie umiała mówić.

Katastrofa zdziwiła się trochę, że ktoś może chcieć czegoś tak niepozornego jak jej skrzydła.

— A ja bym chciała być taka silna jak ty — powiedziała prawie bez namysłu.

— Naprawdę? — teraz zdziwił się Pypeć. — Uważasz, że jestem silny?

— No pewnie — powiedziała Katastrofa. — Pamiętasz, jak nam kredki wpadły za szafkę, to sam ją przesunąłeś.

Pypeć pamiętał, ale myślał, że to nic takiego.

— Jak byś miał skrzydła zamiast łap, to by ci się pewnie nie udało — dodała Katastrofa.

— Bzyk-bzyk — zabzyczała potwierdzająco Bzyk-Bzyk.

— A jak ty byś miała wielkie skrzydła, mogłabyś się łatwo zgubić — powiedział Pan Kuleczka. — Pomyśl tylko: machnęłabyś nimi kilka razy i już byś była nie wiadomo gdzie.

Katastrofa zrobiła niewyraźną minę. Była bardzo dzielna, ale nie lubiła się gubić.

— A poza tym żadne ubranka by na ciebie nie pasowały — dodał Pypeć. — Pewnie by trzeba we wszystkich twoich koszulach, swetrach i kurtkach zrobić wielkie dziury na skrzydła...

Właśnie doszli do kasy.

— A jak by Pan Kuleczka miał trzy ręce, to by było jeszcze gorzej! — krzyknęła Katastrofa, aż pani kasjerka spojrzała na nią ze zdziwieniem. — Do wszystkiego trzeba by doszywać trzeci rękaw!

— I skąd brać zimą trzecią rękawiczkę? — zmartwił się Pypeć.

Zapakowali zakupy do toreb i jeszcze długo rozmawiali, co by było, gdyby. W końcu doszli do wniosku, że może najlepiej jest tak, jak jest? A Panu Kuleczce udało się donieść wszystkie zakupy bez trzeciej ręki, bo część toreb wziął Pypeć, a część Katastrofa. Tylko Bzyk-Bzyk nic nie niosła, ale wiadomo, że ona jest jeszcze za mała. Za to pobzykiwała im jakąś wesołą piosenkę.

I dziwna rzecz... Choć nikomu nic na plecach nie wyrosło, to słowo daję, wrócili do domu jak na skrzydłach!

Lot

— Czy wiecie, co jest potrzebne do latania? — zapytał Pan Kuleczka.

Był ciepły poranek. Dzień niedawno się zaczął i jeszcze wszystko mogło się wydarzyć.

— Jejku, pewnie, że wiemy! — zawołała kaczka Katastrofa, podskakując na łóżku. — Przecież już tyle razy sobie o tym mówiliśmy!

I zrobiła fikołka. Z tego wszystkiego zapomniała powiedzieć, co jest potrzebne do latania.

— No, skrzydła — wtrącił pies Pypeć.

Wyglądał przez okno i próbował policzyć wszystkie ptaki, które siedziały na drzewie i ćwierkały radośnie. Za każdym razem, kiedy mu się już prawie udawało, któryś z ptaszków odlatywał albo przylatywały dwa inne i Pypeć musiał liczyć od nowa. Zaczynał być trochę zły.

— Bzyk-bzyk — zabzyczała mucha Bzyk-Bzyk, pokazując swoje niewielkie, ale nadzwyczaj skuteczne skrzydełka.

— Skrzydła? Tak — potwierdził Pan Kuleczka. I dodał tajemniczo: — Ale niekoniecznie.

— Jak to niekoniecznie?! — zawołała Katastrofa i ze zdumienia stanęła na głowie.

Pypeć nagle pomyślał, że właściwie to wszystko jedno, ile ptaszków siedzi na drzewie. Zadowolony przestał wyglądać przez okno i powiedział:

— No tak, na przykład rakieta nie ma skrzydeł, a lata!

— Rakieta! Zróbmy rakietę! Polecimy na Księżyc! — zawołała Katastrofa. Zeskoczyła z łóżka i zaczęła biegać w tę i z powrotem, szybko jak rakieta.

Pan Kuleczka potarł czoło i powiedział trochę zakłopotany:

— Hm, rzeczywiście chciałem, żebyśmy zrobili coś latającego. Ale...

Wyszedł na chwilę z pokoju. Gdy wrócił, trzymał w ręku kilka cienkich długich drewienek i kolorowy papier.

— Rakieta? Z tego? Niemożliwe! — wołała Katastrofa.

— A ja wiem — ucieszył się Pypeć. — Zrobimy latawiec!

I rzeczywiście. Zajęcie mieli aż do obiadu. Kleili, cięli i przywiązywali sznurek. Latawiec udał im się nadspodziewanie dobrze.

— Ale wielki! — powiedział Pypeć. — Chyba taki jak ja!

— Ale ogon ma dłuższy! — zawołała zaraz Katastrofa. — I bardziej kolorowy niż twój!

Katastrofa zaraz chciała puszczać latawiec w domu, ale Pan Kuleczka wytłumaczył, że latawiec, tak jak ptaki, potrzebuje więcej miejsca. Więc zaraz po obiedzie pojechali autobusem za miasto. Byli bardzo dumni. Wszyscy im się przyglądali. Nawet pan kierowca.

Pan Kuleczka pokazał Katastrofie i Pypciowi, jak trzymać sznurek i w którą stronę trzeba biec. Najpierw trochę się kłócili, kto pierwszy będzie trzymał, ale potem... Biegali i biegali, ale latawiec jakoś nie bardzo chciał wznieść się w powietrze. Nie pomogło nawet i to, że Bzyk-Bzyk latała koło niego i bzyczała po swojemu zachęcająco...

— A mówiłam, żeby mu zrobić skrzydła! — powiedziała Katastrofa, zdyszana i zła. — Jakby miał skrzydła, to na pewno by poleciał.

— A ja myślę, że on się boi — powiedział Pypeć. — Przecież ma polecieć pierwszy raz.

Pogłaskał latawiec, coś do niego zaszeptał i pobiegł jeszcze raz, mocno trzymając sznurek.

Latawiec zaszumiał ogonem i nagle zaczął się wznosić coraz wyżej i wyżej...

— Hura! — zawołali wszyscy.

A gdy wracali do domu na kolację, Katastrofa powiedziała:

— To jednak można latać bez skrzydeł.

A Pypeć dodał:

— Tylko potrzebny jest ktoś, kto szybko biega i mocno trzyma sznurek!

Podróż

— Jedzie pociąg z daleka —

bul, bul — na nikogo nie czeka —

bul, bul...

— podśpiewywała kaczka Katastrofa, bulgocząc soczkiem jabłkowym. Jakiś czas temu odkryła, że jeśli dmucha się w rurkę, zanurzoną w soczku, rozlega się miły bulgot.

— Katastrofciu — powiedział Pan Kuleczka — nie bulgocz tak, proszę. To nieelegancko.

— Gancko, gancko, elegancko — bul, bul — zaśpiewała Katastrofa.

Jechali pociągiem na wakacje. Już długo: chyba z piętnaście minut. Katastrofa zdążyła na razie spróbować jabłka, cukierków, gumy i chipsów. Teraz zachciało jej się pić, więc Pan Kuleczka piąty raz sięgał do koszyka z zapasami. Całe szczęście, że w przedziale byli sami, bo Pan Kuleczka wiedział z doświadczenia, że nie wszyscy lubią takie żywe i głodne kaczuszki.

Pies Pypeć patrzył przez okno, a mucha Bzyk-Bzyk wciąż rozpędzała się i odbijała od szyby, bzycząc z zadowoleniem.

— Daleko jeszcze? — zapytała Katastrofa.
Pan Kuleczka chrząknął. Nie wiedział, co powiedzieć.
— Daleko — zdecydował się wreszcie. — Ale bliżej, niż było.
Katastrofa przez chwilę zastanawiała się nad tą odpowiedzią.
 — Aha — powiedziała w końcu.
Może chciała coś jeszcze dodać, ale Pypeć właśnie zawołał:
— A ja widzę krowę!

Katastrofa podskoczyła do szyby i odbiła się od niej jak Bzyk-
-Bzyk. Zdążyła zobaczyć dwie nogi i ogon. Krowa zniknęła.

— Mogłeś powiedzieć wcześniej! — obraziła się Katastrofa.

— Powiedziałem od razu — tłumaczył Pypeć — ale tu jest
inaczej... W domu można sobie oglądać drzewo za oknem
przez cały dzień, a tutaj widok strasznie szybko się zmienia.

— Ojej — przerwała mu Katastrofa — bociany!

Rzeczywiście, teraz widać było zieloną łąkę i biało-czerwone
ptaki. Jeden z nich leciał przez chwilę tuż przy pociągu.

— On nam macha! — wołała Katastrofa i też zamachała swoimi maleńkimi skrzydełkami. — Hurra!

Bocian zniknął i pojawiły się domki z czerwonymi dachami.

— Jak byłem mały, miałem kolejkę elektryczną i takie same malutkie domki — przypomniał sobie Pan Kuleczka. I opowiedział im, jak jego pociąg jeździł w małym tunelu, zatrzymywał się na małej stacji i mijał małe szlabany.

Potem jechali obok drogi i ścigał się z nimi jakiś samochód, a oni krzyczeli do maszynisty:

— Szybciej, panie maszynisto!

Potem się okazało, że samochód musi się zatrzymać przed prawdziwym dużym szlabanem, a oni nie muszą, więc skakali z radości, że wygrali wyścig. Potem było stado koni, potem wielka maszyna na polu, potem płot cały w jakichś napisach (ale Pan Kuleczka nie zdążył im ich przeczytać), potem machały im dzieci... A potem Pan Kuleczka zaczął zdejmować z półki walizkę i powiedział, że trzeba wysiadać.

— Jak to?! — krzyczała Katastrofa. — Przecież dopiero wsiedliśmy!

— Nie! — bzyczała Bzyk-Bzyk. — Nie, nie!

— Zostańmy jeszcze trochę... — prosił Pypeć.

Pan Kuleczka nie dał się przekonać. Więc kiedy w końcu wyszli i stali już na peronie, Katastrofa zmarszczyła czoło i powiedziała:

— Ale musi pan obiecać, że z powrotem pojedziemy dalej!

Wpadka

Pan Kuleczka, kaczka Katastrofa i pies Pypeć stali nad rzeką
i wpatrywali się w wodę. Mucha Bzyk-Bzyk latała przy nich
i próbowała bawić się w berka z nowo poznaną ważką. Ważka
najwyraźniej nie chciała.

— Woda jest jak lustro — powiedział Pypeć.
— Zobacz, jak wszystko się w niej odbija: drzewa,
trzciny i my. Nawet ta mała ważka...

— Jak zepsute lustro! — zawołała Katastrofa, aż trzciny się zachwiały, a ważka uniosła się
i odleciała w nieznanym kierunku. — W lustrze widać
wyraźnie, a tu wszystko jest jakieś takie zamazane,
jakby ktoś malował, ale mu się ręka trzęsła!

Bzyk-Bzyk spróbowała się bawić w berka sama. To nie było to.

— Rzeka płynie — wyjaśnił Pan Kuleczka — a w dodatku
marszczy ją wiatr. To dlatego widać wszystko, hm... niejasno.

— Lustro nigdy się nie marszczy — zauważył Pypeć.

— Najwyżej się dzieli — dodała Katastrofa, która coś wie-
działa na ten temat.

Pomilczeli chwilę, a potem wrócili na koc. Bzyk-Bzyk bzyczała cicho, znużona berkiem. Pan Kuleczka wyjął z koszyka
różne smaczne rzeczy. Pili wodę mineralną i jedli kanapki, aż
zostały same okruszki. Okruszkami zajęły się mrówki.

— A właściwie — powiedziała nagle Katastrofa — dlaczego
rzeka ciągle się rusza?

Pan Kuleczka pomyślał chwilę.

— Myślę, że chce dotrzeć jak najdalej i sprawdzić, co tam
jest — odpowiedział w końcu.

— Jak ta ważka, z którą bawiła się Bzyk-Bzyk — dodał Pypeć.

— Bzyk-bzyk — potwierdziła Bzyk-Bzyk.

— No, niezupełnie — powiedział Pan Kuleczka. — Gdzie

poleciała ważka, nie wiadomo. A rzeka — wiadomo: wpada do innej rzeki, potem do jeszcze innej, a na koniec do morza.

Wszyscy pokiwali głowami.

— Czy jest jeszcze woda? — spytał Pypeć trochę nie na temat.

Pan Kuleczka zajrzał do koszyka.

— Nie ma — odpowiedział po krótkim poszukiwaniu.

— Pić mi się chce — wyznał Pypeć i zajrzał do koszyka z drugiej strony. Nic nie zobaczył, więc spróbował się na niego wdrapać. Coś zaskrzypiało i mignęło. Ktoś zawołał „oj!". Wszyscy spojrzeli w tamtą stronę. Koszyk stał. Pypeć zniknął. Po chwili rozległy się szelesty i z koszyka wyjrzała głowa. Głowa Pypcia.

— Hi, hi! — ucieszyła się Katastrofa. — Rzeki wpadają do morza, a Pypcie...

— ....wpadają do koszyka — dokończył ponurym głosem Pypeć. — To wcale nie jest śmiesz...

Nagle przerwał i zanurkował w koszu. Kiedy znów się wynurzył, trzymał małą buteleczkę z wodą.

— Musiała się schować! — zamruczał radośnie — Gdybym tu nie... hmm... wszedł, nigdy bym jej nie znalazł.

— No, widzisz! — zawołała Katastrofa. — Gdyby rzeki nie wpadały do morza, morze by wyschło. A gdyby Pypcie nie wpadały do koszyka, Pypcie by wyschły! Ja sobie od razu pomyślałam, że jak Pypcie wpadają do koszyka, to musi być po coś!

Pan Kuleczka przytulił ich oboje.

— Oczywiście. Wszystko jest po coś — powiedział.

A Pypeć dodał, wychylając się z koszyka:

— Tylko nie zawsze od razu wiadomo po co.

Mruczanka

Pan Kuleczka, kaczka Katastrofa, pies Pypeć i mucha Bzyk-
-Bzyk byli w lesie. Takim prawdziwym, gdzie drzewa są grube
i wysokie, pod nogami można zobaczyć poziomkę albo jagodę,
a w krzakach spotkać krasnoludka albo nawet dzika.

— Mru-mru-mru, mru-mru-mru — mruczała kaczka Katastrofa. Na wszelki wypadek, żeby odstraszyć dzika, jeśliby się
akurat jakiś chował w pobliżu. A krasnoludek — myślała — na
pewno by się takiej mruczanki nie przestraszył.

Wokół szumiało i śpiewało. Szumiały drzewa, a śpiewały naj-
prawdopodobniej ptaki. Ale mogło być też odwrotnie, bo widać było tylko drzewa, a ptaków ani trochę. Tak rozmyślał Pypeć. Z doświadczenia jednak wiedział, że śpiewają właśnie ptaki. Drzewa właściwie nic nie robią. Tylko rosną. No i szumią,
ale tylko wtedy, gdy jest wiatr. Gdy wiatru nie ma, nie szumią.

— A wiatr potrafi szumieć bez drzew — powiedział głośno Pypeć. — I to tak, że uszy furkoczą.

— Co? — zdziwiła się Katastrofa i aż przestała mruczeć.

Pypeć spojrzał na nią trochę nieprzytomnie. Potem spojrzał uważniej i powiedział:

— Ojej, dlaczego jesteś w kropki?

— Kropki? — zdziwiła się jeszcze bardziej Katastrofa.

Ale kiedy popatrzyła po sobie, zobaczyła, że rzeczywiście ma na sobie mnóstwo małych, czarnych kropek.

— Ojej — powiedziała tym razem Katastrofa. A potem dodała: — Ojej, ojej! One się ruszają!

I podskoczyła w górę, jakby nie była kaczuszką, tylko kangurem, i to na sprężynce. Machała przy tym z całych sił skrzydełkami, podnosiła to jedną, to drugą nóżkę, i wołała:

— Mru-mru-mru!

Pan Kuleczka za bardzo grubym drzewem pokazywał w tym czasie muszce Bzyk-Bzyk różne rodzaje mchu, cierpliwie znosząc nieustanne „Nie!". Gdy usłyszał dziwne odgłosy, wyjrzał zza drzewa i otworzył szeroko oczy. Najbardziej zdziwiło go, że Katastrofa tak głośno mruczy. Ruszył w jej kierunku, ale Bzyk--Bzyk była szybsza. Z wielkim bzykiem zaczęła ganiać kropki, które uciekały z Katastrofy.

Katastrofa przestała machać, bo się bała, że trafi Bzyk-Bzyk. Powtarzała tylko nieustannie:

— Mru-mru-mru!

Pypeć biegał naokoło niej. Uważał, że w tak trudnej sytuacji powinien coś robić. Nie chciał, żeby mu się w głowie zakręciło, więc co jakiś czas zawracał i pędził w drugą stronę.

Pan Kuleczka dobiegł w końcu nieco zasapany i ku zdumieniu Pypcia, dysząc zamruczał:

— Mró-hu-hu...

A Katastrofa krzyknęła wreszcie pełnym głosem:

— No właśnie! Przecież mówię wam wyraźnie, że mrówki mnie oblazły!

Wspólnymi siłami jakoś udało im się pożegnać z mrówkami. Potem chcieli pomóc odbudowywać mrowisko, na którym — jak się okazało — niechcący usiadła Katastrofa. Ale Pan Kuleczka im wytłumaczył, że mrówki same sobie z tym lepiej poradzą.

— Wiecie co? — powiedziała Katastrofa. — Tylko już lepiej nie mruczmy w lesie. Bo jak ja mruczałam, to one na pewno pomyślały, że ja je wołam, i dlatego do mnie przyszły.

Więc wracając, podśpiewywali tylko „lalala". Na wszelki wypadek cichutko. Bo kto wie, czy w takim dużym lesie nie mieszka na przykład lalalampart?

Skarb

— Hyc, hyc! Hyc, hyc! — podśpiewywała kaczka Katastrofa, skacząc po chodniku. Próbowała tak skakać, żeby nie nadepnąć na linie i prawie zawsze jej się udawało. A jak się nie udało, to szybko przesuwała nogę, żeby się jednak udało.

— Bzyk-bzyk! — bzyczała z Katastrofą mucha Bzyk-Bzyk.

Śpiewały ptaki, pachniała mokra ziemia, a słońce mocno świeciło. Cały świat wydawał się bardziej kolorowy niż naprawdę. A może teraz właśnie był taki kolorowy jak naprawdę?

Pies Pypeć szedł szybciej niż zwykle i machał uszami. Udawał, że straszy wróble. Wróble udawały, że się boją i odlatywały trochę dalej. I Pypeć, i wróble byli zadowoleni z tego udawania.

— Wiecie co? — powiedział Pan Kuleczka. — A może poszukamy skarbów?

— Taaak! — zawołali wszyscy, aż wróble przestraszyły się naprawdę i odleciały na dobre.

Przez chwilę szli, rozglądając się uważnie dokoła.

— Eeee tam! — zawołała nagle Katastrofa. — Przecież nic nie znajdziemy! W mieście nie ma skarbów!

— Tak — poparł ją niespodziewanie Pypeć. — Pamiętam! Skarby są w lesie, pod kwiatem paproci. I on kwitnie raz w roku.

Katastrofa przeskoczyła kolejną linię.

— A jeszcze lepsze to są na wyspie! — dodała szybko. — Takiej z piratami!

— Bzyk-bzyk! — zabzyczała Bzyk-Bzyk, jakby pirat ostrzył swoją bardzo piracką szablę.

— W-skrz-yni-al-bo-na-wet-w-kil-ku! — wydyszała Katastrofa, nie przerywając skoków.

— No, skrzyni chyba nie znajdziemy... — powiedział Pan Kuleczka. — Zimą, owszem, się zdarzają, ale tylko z piaskiem.

Wtedy właśnie Katastrofa zawołała głośno i wyraźnie:

— Oj! — i stanęła jak wryta, pokazując jakiś niewielki przedmiot na linii, którą właśnie miała przeskoczyć. — Skarb!

Wszyscy się pochylili. Nie była to co prawda skrzynia, tylko...

— Portfel — powiedział Pan Kuleczka takim tonem, jakby się czymś martwił.

— Hurra! — zawołała Katastrofa, podskakując naokoło portfela. — Znaleźliśmy skarb! Udało się! Znaleźliśmy!

Pan Kuleczka tymczasem rozglądał się po ulicy.

— My znaleźliśmy — powiedział powoli Pypeć — to znaczy, że ktoś musiał zgubić...

Katastrofa przestała skakać. Ale tylko na chwilę.

— Wiem! — zawołała, znowu skacząc. — Piraci! Nowocześni. Tacy, co nie chowają skarbów w skrzyniach, tylko w portfelach!

Pan Kuleczka zajrzał do portfela i pokręcił głową:

— Coś mi to nie wygląda na piracki portfel — powiedział. — Za mało wypchany. Chodźcie, szukamy dalej.

— Bardziej wypchanego portfela? — zdziwiła się Katastrofa.

— Nie — wyjaśnił Pan Kuleczka — tym razem właściciela.

Nie szukali długo. Tuż za rogiem zobaczyli starszą panią, która szła, patrząc uważnie pod nogi. Wyglądała na zmartwioną.

— Czy coś się stało? — upewnił się Pan Kuleczka.

— Oj — machnęła ręką starsza pani — stało się, i owszem. Zgubiłam portfel.

I zanim Pan Kuleczka zdążył cokolwiek powiedzieć, dodała:

— I nawet, wie pan, nie chodzi mi o pieniądze, ale miałam tam taką bardzo starą fotografię mojej mamy. To był dla mnie prawdziwy skarb.

Pypeć z Katastrofą spojrzeli po sobie i zawołali:

— A my go znaleźliśmy!

— Tylko myśleliśmy, że pani jest piratem — dodała ciszej Katastrofa.

Starsza pani wpatrywała się w portfel. Potem wyjęła z niego czarno-białą fotografię małej dziewczynki i pokazywała ją wszystkim, nawet Bzyk-Bzyk. Na koniec zaprosiła ich na lody.

A kiedy się już żegnali, powiedziała do Pana Kuleczki:

— Wspaniałe ma pan te zwierzaki! To prawdziwy skarb!

Winda

— Które to piętro? — zapytał pies Pypeć.

— Siódme — odpowiedział nieco zasapany Pan Kuleczka zza kwiatów. — Ale nie martw się — dodał — pojedziemy windą.

Pypeć dopiero teraz zaczął się martwić. W zasadzie lubił różne wynalazki, ale nie wszystkie.

— Hura! — zawołała kaczka Katastrofa. — Windą! Gdybyśmy w domu mieli windę, ciągle bym jeździła. W górę i w dół, w górę i w dół! Fantastycznie! To prawie tak, jakby się latało.

— Bzyk-bzyk — potwierdziła mucha Bzyk-Bzyk, która najlepiej znała się na lataniu.

Szli z wizytą. Właściwie to najpierw szli, potem jechali autobusem, potem znowu szli, a teraz stali i czekali na windę...

— A nie lepiej byłoby pójść schodami? — zapytał Pypeć.

— Schodami? — zdziwiła się Katastrofa. — Schodami to sobie możemy chodzić wszędzie. To znaczy wszędzie, gdzie są schody! A windą nie! Jedziemy windą!

— Bzyk-bzyk — potwierdziła stanowczo Bzyk-Bzyk.

— No, wiesz — zaczął tłumaczyć Pypciowi Pan Kuleczka — to jest wysoko. Nogi by was bolały.

— Właśnie! — zawołała Katastrofa. — Bardzo by mnie bolały. Właściwie to już mnie bolą. Oj, oj. I Bzyk-Bzyk też!

Bzyk-Bzyk zabzyczała smętnie, choć Pypeć wiedział, że mogą ją boleć najwyżej skrzydełka, bo bez przerwy nimi machała.

— No tak — próbował jeszcze walczyć Pypeć — ale słyszeliście kiedyś, żeby schody się zepsuły?

— Nie — zdziwiła się Katastrofa.

— A windy tak! — powiedział triumfująco Pypeć. — Ta też na pewno się zepsuła. Widzisz — w ogóle nie przyje...

Przerwał, bo za metalowymi drzwiami zjechała najpierw długa gruba lina, a potem mały oświetlony pokoik. Wszyscy do niego weszli, a Pan Kuleczka cicho zamknął drzwi.

— Jedziemy! — zawołała Katastrofa.

— Coś ty, przecież stoimy — zauważył smętnie Pypeć. — Zepsuła się. Mówiłem. Idziemy.

— Winda działa — wytłumaczył Pan Kuleczka. — Tylko trzeba jej powiedzieć, na które piętro ma jechać.

— Na siódme, windo, na siódme! — podskoczyła Katastrofa. — Ale mądra winda! Ruszyła!

— To ty się ruszasz — wymruczał Pypeć. — Winda stoi. Zepsuła się. Mówiłem.

— Działa — powtórzył Pan Kuleczka — tylko żeby zrozumiała, gdzie ma jechać, trzeba nacisnąć ten biały guziczek.

Katastrofa i Bzyk-Bzyk bardzo chciały nacisnąć guziczek, ale Bzyk-Bzyk nie miała tyle siły, a Katastrofa trzymała prezent. Więc Pan Kuleczka podniósł Pypcia. Pypeć był dumny, bo pamiętał, jak wygląda „siedem" i wiedział, który guzik nacisnąć.

Winda drgnęła i ruszyła w górę.

— Hura! — zawołała Katastrofa.

— Bzyk-bzyk — zabzyczała Bzyk-Bzyk.

Nawet Pypeć zamachał ogonkiem. A winda... stanęła.

— Oj, oj! — zmartwiła się Katastrofa.

— Zepsuła się. Mówiłem, żeby się jeszcze nie cieszyć — powiedział Pypeć, choć nikt nie pamiętał, żeby tak mówił.

— Chyba wiem, co się stało — stwierdził Pan Kuleczka. Docisnął drzwi i winda ruszyła.

— Machnąłeś ogonkiem tak, że drzwi się uchyliły — wyjaśnił Pan Kuleczka. — A wtedy winda staje.

— Aha — zamyślił się Pypeć. — Jednak miałem rację. Z windami trzeba ostrożnie. Nawet jak się już jedzie, lepiej się za bardzo nie cieszyć.

A gdy winda zatrzymała się wreszcie na siódmym piętrze, dodał:

— No, chyba że się nie ma ogonka!

Bezsenność

Było ciemno, ciepło i cicho. Tylko zza uchylonego okna dochodził czasem stłumiony szum samochodów. Pies Pypeć przewracał się z boku na bok i próbował gonić sen. Muchę Bzyk-Bzyk dawno już położyli spać. Kaczka Katastrofa pochrapywała wesoło. Tylko on wciąż nie mógł zasnąć. Rozmyślał.

— Co by było, gdyby tak wszyscy nigdy, ale to nigdy nie spali...? — mruczał do siebie. — Można by się dłużej bawić... Nie trzeba by było przebierać się na noc... Ani myć przed snem...

Trochę się rozmarzył, ale nagle zawstydził — jakby ktoś mógł podsłuchać jego myśli. Zaraz więc dodał:

— I o ile więcej rzeczy można by zrobić niż teraz... — Rozejrzał się. — Ze dwa razy więcej łóżek, szafek, lampek, zabawek...

Wyobraził sobie dwa łóżka, dwie szafki z dwiema lampkami i dwie myszy Wisze, śpiące z jedną Katastrofą.

Ale właściwie po co Katastrofie dwa łóżka? — pomyślał i przewrócił się na drugi bok. — Tylko biegałaby z jednego na drugie i z powrotem. I nie mogła się zdecydować, na którym się położyć. Poza tym, gdzie byśmy wstawili to drugie łóżko?

Daleko za oknem zatrąbił samochód.

I dwa razy więcej samochodów... — myślał dalej Pypeć. — Już i tak nie mieszczą się na ulicach i zajmują chodniki. Jakby ich było tak dużo, stałyby chyba wszędzie — na polach, łąkach, plażach, w ogródkach, na drzewach... Okropne! Brrr!

Znów zmienił bok i spojrzał na drzewo za oknem. Na razie nie było tam żadnego samochodu, tylko ciemnogranatowe liście na tle jasnogranatowego nieba. Spomiędzy nich patrzył na Pypcia księżyc, okrągły jak guzik, ale bez dziurek.

— A księżyc w nocy nie śpi — odkrył nagle Pypeć. — I nikt mu nie każe...

Pozastanawiał się chwilę nad tym, że to niesprawiedliwe — jakby był Katastrofą, a nie Pypciem. Ale Katastrofa spała, więc przynajmniej troszeczkę chciał ją zastąpić.

— Chrrr — zachrapała nagle głośniej Katastrofa. Musiała poczuć, że o niej właśnie myśli.

— I jakby w nocy się nie spało — odkrył nagle Pypeć — to nikomu nie przeszkadzałoby chrapanie!

— Chrr! — potwierdziła Katastrofa.

Pypeć odwrócił się do ściany.

Im bardziej goni się sen, tym on bardziej ucieka — pomyślał i popatrzył na cienie na ścianie. Jeden z nich wyglądał zupełnie jak Pan Kuleczka...

Pypeć wstał i poczłapał do kuchni. Przy kuchennym stole Pan Kuleczka pisał coś wśród rozłożonych papierów. Uniósł wzrok i spojrzał nieprzytomnie na Pypcia.

— Nie mogę zasnąć — wymruczał Pypeć, choć to właściwie było widać.

Pan Kuleczka oprzytomniał i odłożył długopis. Chyba chciał coś powiedzieć, ale się rozmyślił.

Pypeć był już właściwie całkiem duży, ale teraz nikt go nie widział, więc jak za bardzo dawnych czasów wskoczył Panu Kuleczce na ręce. Pan Kuleczka mocno go przytulił, zaczął kołysać i prosto do ucha cichutko zaśpiewał mu ich starą kołysankę-przytulankę, o której myślał, że już się nigdy nie przyda... A oczom Pypcia nagle bardzo, bardzo zachciało się zamknąć.

Pypeć zdążył jeszcze tylko pomyśleć:

— Ale jakby w nocy się nie spało, to nie byłoby kołysanek-przytulanek.

Uśmiechnął się i przestał gonić sen. A wtedy... sen dogonił jego.

Okna

 Pies Pypeć i kaczka Katastrofa siedzieli w fotelu i patrzyli w okno. Mucha Bzyk-Bzyk łaziła po szybie. Byli sami. Robiło się ciemno, ale nikomu nie chciało się ruszyć, żeby zapalić światło. Patrzyli na dalekie domy. Wydawały się teraz niebieskie, choć Pypeć pamiętał, że w dzień są szare. Co jakiś czas na którejś niebieskiej ścianie pojawiała się żółta plamka.

— Widocznie tam komuś chciało się ruszyć, żeby zapalić światło — powiedział Pypeć.

— Co, co, co? — zapytała zdziwiona Katastrofa. Chyba na chwilę zasnęła.

— Mówię o żółtych plamkach — wytłumaczył Pypeć. — Jak się pojawiają, to znaczy, że ktoś w tym pokoju zapalił światło.

— Mhy — kiwnęła głową Katastrofa. — No to co?

— Wiesz — powiedział Pypeć — jak tak siedzę i patrzę sobie na te malutkie żółte plamki, to nie mogę uwierzyć, że wszędzie tam ktoś jest... Dzieci, rodzice, babcie, dziadkowie, psy...

— I kaczki... — wtrąciła szybko Katastrofa.

— No, nie wiem — zamyślił się Pypeć.

— I myszy — dodała więc Katastrofa i przytuliła mysz Wiszę.

— Bzyk-bzyk — zabzyczała Bzyk-Bzyk przy szybie.

— ...i muchy — dokończył Pypeć.

Chwilę milczeli, patrząc w okno. Świateł powoli przybywało.

— I może kogoś z nich boli głowa — odezwał się Pypeć. — Albo przypaliła mu się zupa. Albo czeka, żeby go ktoś odwiedził...

— Albo się pokłócił i teraz się wstydzi — powiedziała Katastrofa. — Albo zepsuł radio i trochę boi się przyznać. Albo zgubił klucz i nie może się dostać do domu...

— No, nie — zaprotestował Pypeć — jakby się nie dostał, toby się nie zapaliło światełko.

— Właśnie! — zawołała Katastrofa. — Widzisz, ile jest ciemnych okien?

— Bzyk-bzyk — zabzyczała Bzyk-Bzyk.

— ...albo nie umie mówić i się martwi, bo nikt go nie rozumie — dopowiedział jeszcze Pypeć.

Znowu chwilę pomilczeli.

— Musimy coś zrobić! — zawołała nagle Katastrofa. — Nie możemy ich tak z tym wszystkim zostawić!

— Ale nas jest tak mało — powiedział Pypeć. — A ich dużo...

— No... — zmartwiła się Katastrofa. — Ale żeby chociaż wiedzieli, że ich widzimy, że się o nich martwimy i że nie są sami!

Przez chwilę próbowali coś wymyślić. Sprawa nie była prosta.

— Wiem! — zawołał nagle Pypeć. — Damy im znak. Przez okno!

Zeskoczył z fotela, podbiegł do ściany i zapalił światło. Zgasił. A potem znów zapalił. I znów, i znów. Wpatrywali się uważnie w okna dalekich domów. Nic się nie działo. Co jakiś czas na którejś ścianie pojawiało się nowe światełko. Rzadziej któreś gasło. Pypeć pstrykał, a pokój na zmianę rozjaśniał się i ciemniał.

— Bzyk-bzyk! — zabzyczała nagle gwałtownie Bzyk-Bzyk.

Ona zobaczyła pierwsza. Katastrofa i Pypeć zaraz potem. Jedno z dalekich światełek zgasło na chwilę, potem znów się zapaliło, znów zgasło, i znów....

— Hura! — zawołała Katastrofa. — Zobaczyli nas! Wiedzą, że nie są sami! Hura!

I odtańczyła z Pypciem radosny taniec na środku pokoju.

— I wiesz, co jeszcze? — zapytał po chwili zdyszany Pypeć. — My też nie jesteśmy sami! Nawet jak nie ma Pana Kuleczki. Wystarczy spojrzeć przez okno.

Spis treści